AMSTERDAM

Samenstelling en fotografie:
Herman Scholten

Colofon

Vertaling teksten in het Frans, Duits en Engels:
CopyTrust, Rotterdam

Zetwerk en lithografie: Peter Verwey Grafische Produkties b.v.,
Zwanenburg

Amsterdam is een uitgave van ATRIUM in opdracht van
Uitgeverij Elmar b.v., Rijswijk.

© MMIV Uitgeverij Elmar b.v., Rijswijk

Inleiding

Amsterdam is waarschijnlijk ontstaan rond 1270 toen als
beveiliging tegen het opdringende IJ-water een dam met sluizen
in de rivier de Amstel werd aangelegd. Deze dam bevond zich op
de plaats waar zich nu het Paleis op de dam bevindt. Het
verleende privilege van tolvrijheid aan 'de lieden wonende te
Amestelledamme' door Floris V in 1275 heeft waarschijnlijk de
eerste kiem gelegd voor de ontwikkeling van de stad. De echte
opkomst kwam in circa 1300 met de verkrijging van het
stadsrecht. De handel met het Oostzeegebied zorgde daarna voor
de eerste groei. Na een grote brand in 1421 (de meeste huizen
waren van hout) groeide de stad verder uit. Amsterdam telde in
die tijd zo'n 30.000 inwoners, meer dan enig andere
Noordnederlandse stad. In 1481 werd de aarden omwalling met
houten palissade rondom de stad vervangen door een stenen
muur waarvan tegenwoordig nog slechts de St. Anthoniespoort
(Waag), Schreierstoren en Munttoren resten. In 1612 werd een
stadsplan ontwikkeld dat tot de huidige vorm van de stad heeft
geleid. Vooral de Gouden 17e Eeuw zorgde voor een verdere
groei. Zo werd er bijvoorbeeld door Hendrick de Keyser in 1611
een eerste beursgebouw voor de goederenhandel ontworpen.
Amsterdam groeide als centrum van de wereldhandel ook uit tot
financieel centrum. Aan deze positie kwam pas aan het eind van
de achttiende eeuw een eind.
Tijdens het eerste koningschap van Lodewijk Napoleon werd
Amsterdam de hoofdstad van Nederland, wat hij altijd is
gebleven. Nog steeds is Amsterdam een belangrijke handelsstad
en financieel-centrum. De nationale luchthaven Schiphol zorgt in
deze eenentwintigste eeuw voor belangrijke groei en
bedrijvigheid. De stad kent belangrijke musea, een levendige
bevolking, een beroemde voetbalclub, is het toneel van
koninklijke huwelijken en groeit en bloeit als nooit te voren.

Amsterdam est sans doute née aux alentours de 1270, lorsqu'une digue et des écluses ont été aménagées dans la rivière de l'Amstel pour protéger ce village de pêcheurs des eaux de l'IJ qui menaçaient d'y pénétrer. Cette digue se trouvait à l'endroit où est édifié, à l'heure actuelle, le Palais sur le Dam. Le privilège d'exemption de péage, octroyé, en 1275, par Floris V aux 'membres demeurant à 'Amstelledamme' a sans doute semé les premiers germes favorables à l'épanouissement de la ville d'Amsterdam. La naissance véritable d'Amsterdam eut lieu aux alentours de 1300, lorsqu'elle reçut son statut de ville. Le commerce avec la mer Baltique favorisa ensuite l'essor de la ville. Après le grand incendie de 1421 (la plupart des maisons étaient en bois, à l'époque) la ville prit son expansion. Amsterdam comptait à l'époque environ 30.000 habitants, plus que les autres villes de la Hollande septentrionale. En 1481, les remparts en terre et les palissades en bois entourant la ville furent remplacés par une muraille en pierre dont il ne reste aujourd'hui que les vestiges de St. Anthoniespoort (Porte St-Antoine) (Waag, Poids public) et des tours Schreierstoren et Munttoren. En 1612, un plan de ville fut élaboré qui aboutît à la forme actuelle de la ville. C'est surtout le 17e siècle, le Siècle d'or, qui marqua l'apogée d'Amsterdam. C'est ainsi qu'Hendrick de Keyser a conçu, en 1611, la première Bourse pour le commerce des marchandises. Amsterdam devint non seulement un centre commercial mondial, mais aussi un centre financier de grande importance. La fin du dix-huitième siècle met fin à cette position de cette ville. Amsterdam devint la capitale des Pays-Bas pendant la première monarchie de Louis Napoléon. Elle l'est encore à l'heure actuelle. Amsterdam est, encore aujourd'hui, une ville commerciale et un centre financier de grande importance. L'aéroport national de Schiphol est, au vingt-et-unième siècle, un grand atout qui favorise la croissance et l'énorme activité commerciale. De plus, Amsterdam, qui compte un grand nombre de musées importants, une population très vivante, un club de football renommé, est le théâtre des cérémonies nuptiales des reines et rois des Pays-Bas et ne cesse de s'épanouir encore plus que jamais.

Amsterdam ist wahrscheinlich um 1270 herum entstanden, als man als Schutz gegen die Wassermassen des IJ auf der Amstel einen Staudamm mit Schleusen baute. Heute steht an der Stelle, wo sich einst der Damm befand, der Königliche Palast auf dem Dam. Als Floris V. „den Leuten, die zu Amstelledamme wohnen", 1275 das Privileg der Zollfreiheit zuerkannte, wurde eine erste Grundlage für die Entwicklung der Stadt geschaffen. Der eigentliche Aufstieg begann jedoch erst 1300 mit der Verleihung des Stadtrechts; anschließend sorgte der Handel mit der Ostseeregion für ein erstes Wachstum. Trotz eines verheerenden Brandes im Jahr 1421 – damals waren die meisten Häuser noch aus Holz – wuchs die Stadt weiter, so dass Amsterdam zu jener Zeit 30 000 Einwohner verzeichnen konnte, mehr als jede andere nordniederländische Stadt. 1481 wurden der Erdwall und die Holzpalisade, die die Stadt umgaben, durch eine Mauer aus Stein ersetzt, von der heute nur noch das Stadttor St. Anthoniespoort (auch Waagpoort genannt) und zwei Türme, der Schreierstoren und der Munttoren (Münzturm) bestehen. 1612 wurde ein Stadtplan erstellt, der die Grundlage für das heutige Stadtbild darstellt. Überhaupt sorgte das „goldene" 17. Jahrhundert dafür, dass die Stadt weiter wuchs: Zum Beispiel entwarf Hendrick de Keyser 1611 die erste Börse für den Warenhandel, und Amsterdam entwickelte sich als Zentrum des Welthandels auch zu einem Finanzzentrum. Das änderte sich erst gegen Ende des 18. Jahrhunderts; während der ersten Herrschaft Ludwig Napoleons wurde Amsterdam Hauptstadt der Niederlande, woran sich bis heute nichts geändert hat. Auch heute ist Amsterdam wichtige Handelsstadt und Finanzzentrum zugleich, im 21. Jahrhundert ist es vor allem der Flughafen Schiphol, der für stetiges Wachstum und eine geschäftige Wirtschaft steht. Darüber hinaus kann die Stadt mit bedeutenden Museen, lebhaften Einwohnern und einem weltbekannten Fußballverein aufwarten, sie ist die Bühne für königliche Hochzeiten und sie wächst und gedeiht wie nie zuvor.

Amsterdam most likely started its development as a settlement around 1270 when a dam with locks was constructed in the Amstel River to protect the surrounding land from the frequently rising waters of the IJ. This dam was built where the Palace on the Dam now stands. When Floris V granted "the people living in Amestelledamme" the privilege in 1275 of not having to pay a toll for using the locks, he probably planted the first seed for the growth and development of the city. The first real development, however, came around 1300 when Amsterdam received its city charter. Trade with lands along the Baltic Sea then ensured the city's initial growth. Despite a disastrous fire in 1421 (most of the houses were built of wood), the city expanded. At that time, the population in Amsterdam was about 30,000 – more than any other city in the northern part of the Netherlands. In 1481, the earthen ramparts with wooden stockades that surrounded the city were replaced by a brick wall of which the only remaining vestiges are the St. Anthoniespoort (now known as the Waag, or weighing house) and two towers known as the Schreierstoren and the Munttoren. The city plan drawn up in 1612 resulted in the form that the city has today. It was particularly during the 17th century, which later came to be known as the Dutch Golden Age, that the city grew in size and population. During this time, in 1611, Hendrick de Keyser designed the first exchange building for the commodity trade. Amsterdam became not only a centre for world trade but also a financial centre. It was not until the end of the eighteenth century that the city lost this position. During the first kingship of Louis Napoleon, Amsterdam became the capital of the Netherlands and has remained such ever since. Even now, Amsterdam is an important city of trade and a financial centre. Schiphol, the national airport, provides the city with a source of important growth and industry in the twenty-first century. Amsterdam has internationally important museums, a lively population, and a famous football club, is the stage for royal weddings, and is growing and thriving as never before.

Une visite à la ville historique d'Amsterdam commence, la plupart du temps, à la Centraal Station (Gare centrale), la porte d'accès au cœur de la ville. La Centraal Station, construite sur 8687 piliers de 20 mètres de long, est édifiée sur une île artificielle. Ce bâtiment, conçu par l'architecte P.J.H. Cuypers, fût prêt en 1889. L'architecte Cuypers a aussi été chargé de la construction du Rijksmuseum (Musée national) qui ressemble beaucoup à celle de la Centraal Station. Cette gare subit constamment des transformations pour répondre aux exigences du voyageur moderne.

Een bezoek aan de historische stad Amsterdam begint meestal bij het Centraal Station, de toegangspoort tot het hart van de stad. Het Centraal Station staat op een kunstmatig eiland op maar liefst 8687 palen van 20 meter lang. Het is een ontwerp van de architect P.J.H. Cuypers. Het gebouw kwam gereed in 1889. Architect Cuypers is ook verantwoordelijk voor de bouw van het Rijksmuseum dat een grote gelijkenis met het Centraal Station vertoont. Het station wordt voortdurend aangepast aan de eisen van de moderne reiziger.

Ein Gang durch das geschichtsträchtige Amsterdam beginnt meistens am Hauptbahnhof, dem Tor zum Herzen der Stadt. Der Hauptbahnhof, auf Niederländisch „Centraal Station", befindet sich auf einer künstlich angelegten Insel, die auf 8687 Pfählen von jeweils 20 Meter Länge steht. Das Gebäude, von dem Architekten P.J.H. Cuypers entworfen, wurde 1889 fertig gestellt. Cuypers war auch der verantwortliche Architekt beim Bau des Rijksmuseums, das große Ähnlichkeiten mit dem Hauptbahnhof aufweist. Um den Bedürfnissen der Reisens im 21. Jahrhundert entsprechen zu können, wird der Bahnhof ständig modernisiert.

A visit to the historic city of Amsterdam usually begins at its Central Station, the gateway to the heart of the city. The Central Station stands on an artificial island and rests on no fewer than 8687 piles driven 20 metres down into the ground. Designed by architect P.J.H. Cuypers, the building was completed in 1889. Cuypers is also responsible for the building of the Rijksmuseum that displays such a great likeness to the Central Station. Over the years, the station has been continually modified to meet the needs of the modern traveller.

Direct na het verlaten van het Centraal Station kunt u de stad verder te voet gaan verkennen of u kunt aan boord gaan van een van de vele rondvaartboten. Gidsen aan boord van deze schepen vertellen u (meestal in meerdere talen) uitgebreid over de vele bezienswaardigheden die Amsterdam te bieden heeft. Het stadsplan van Amsterdam is uniek en bestaat uit cirkels . Door deze cirkelvorm bevinden vrijwel alle bezienswaardigheden zich op loopafstand en is een stadswandeling aan te raden. Mocht u toch nog enigzins vermoeid raken, dan zijn er talloze gelegenheden om even een rustpauze te nemen. Het is slechts enkele minuten lopen van het Centraal Station naar de Dam en daar bevindt u zich meteen in het hart van de stad.

Dès que vous aurez quitté la Centraal Station, vous pourrez explorer la ville à pied ou vous embarquer sur l'un des nombreux bateaux-mouches. Les guides de ces bateaux-mouches vous parleront en détail (et le plus souvent en plusieurs langues) des multiples curiosités qu'offre la ville d'Amsterdam. Le plan de la ville d'Amsterdam est unique et son genre et se compose de cercles. Cette forme circulaire de la ville permet de visiter presque toutes les curiosités à pied et c'est la raison pour laquelle il est recommandé de faire une visite guidée de la ville. Si vous êtes fatigué, vous pourrez vous reposer dans les innombrables cafés ou restaurants qui longent votre route. Il suffit de quelques minutes de marche pour vous rendre de la Centraal Station au Dam et vous vous trouverez, du même coup, en plein cœur de la ville.

Gleich nachdem Sie den Hauptbahnhof verlassen haben, können Sie die Stadt entweder zu Fuß erkunden oder an Bord eines der vielen Ausflugsboote gehen. Die Reiseführer auf diesen Booten geben ausführliche Informationen (meistens in mehreren Sprachen) über die zahlreichen Sehenswürdigkeiten, die Amsterdam zu bieten hat. Ein Blick in den Stadtplan zeigt, dass der Grundriss von Amsterdam einzigartig ist, denn er besteht aus Ringen. Durch diese Anordnung sind nahezu alle Sehenswürdigkeiten zu Fuß zu erreichen, so dass ein Spaziergang durch die Stadt uneingeschränkt zu empfehlen ist. Wenn Sie sich danach ein wenig ausruhen möchten, bietet Ihnen die Stadt zahllose Gelegenheiten für eine kurze Ruhepause. Vom Hauptbahnhof bis zum Dam sind es nur ein paar Minuten zu Fuß, und schon befinden Sie sich mitten im Herzen der Stadt.

Immediately upon leaving the Central Station, you can set off to explore the city on foot or board one of the many large boats that take tourists on cruises through the canals and nearby waters. Guides aboard these boats will relate many interesting details (usually in several languages) about the various objects of interest in Amsterdam. The layout of streets in Amsterdam is truly unique; viewed from above, it looks like a series of concentric horseshoes. Due to this pattern, practically all the city's major points of interest are within walking distance, so a walking tour to discover the city is highly recommended. But should you happen to tire, there are plenty of delightful places to stop and take a break. From the Central Station, the Dam is only a few minutes' walk away. When you get there, you're right in the heart of the city.

Op de Dam kunt u twee beroemde Amsterdamse bouwwerken bezichtigen. Het Koninklijk Paleis dat in 1655 werd voltooid en de Nieuwe Kerk waarvan de bouwplannen in 1608 bisschoppelijke goedkeuring ontvingen. De bouw van het Paleis, de oorspronkelijke bestemming was een nieuw raadhuis, begon in 1648.
Tegenover het Paleis staat het Nationale Monument waar ieder jaar de doden herdacht worden die tijdens de Tweede Wereldoorlog zijn gevallen.

Sur le Dam, vous pourrez visiter deux ouvrages célèbres d'Amsterdam. Le Koninklijk Paleis (Palais royal), achevé en 1655, et la Nieuwe Kerk (Nouvelle Eglise) dont les plans de construction furent adoptés par les évêques en 1608. La construction du Palais, qui devait initialement servir de nouvel hôtel de ville, commença en 1648.
Le Nationale Monument (Monument national de la Libération) fut érigé en face du Palais. C'est ici que les morts, tombés pendant la Deuxième Guerre mondiale, sont commémorés chaque année.

Auf dem Dam haben Sie die Möglichkeit, zwei berühmte Amsterdamer Bauwerke zu besichtigen: den Königlichen Palast, der 1655 vollendet wurde, und die Nieuwe Kerk, die Baupläne für diese Kirche wurden 1608 vom damaligen Bischof selbst genehmigt. Die Bauarbeiten am Palast, der ursprünglich als neues Rathaus konzipiert worden war, begannen 1648. Gegenüber dem Palast befindet sich das Nationaldenkmal, wo jedes Jahr den Gefallenen des Zweiten Weltkriegs gedacht wird.

On the Dam, you can see two famous Amsterdam buildings: the Royal Palace that was completed in 1655, and the Nieuwe Kerk (New Church) for which the building plans received the approval of the bishop in 1608. The construction of the palace (it was originally built to be the new city hall) started in 1648. Across from the palace is the National Monument where those who perished during World War II are remembered during a special ceremony held every year.

De Brouwersgracht, een van de mooiste grachten van Amsterdam, dankt zijn naam aan de vele bierbrouwerijen die er in de zestiende en zeventiende eeuw aan gevestigd waren. De oude pakhuizen zijn gerestaureerd en verbouwd tot luxe appartementen. De Brouwersgracht maakt deel uit van de Jordaan, waar een gemoedelijke sfeer heerst die men in grote steden niet al te vaak zal aantreffen.

Le Brouwersgracht (Canal des Brasseurs), l'un des plus beaux canaux d'Amsterdam, doit son nom aux nombreuses brasseries qui s'y sont implantées au cours du seizième et du dix-septième siècle. Les anciens entrepôts ont été restaurés et transformés en appartements de luxe. Le Brouwersgracht fait partie du Jordaan, où règne une ambiance cordiale que l'on trouve rarement dans les grandes villes.

Die Brouwersgracht, eine der schönsten Grachten von Amsterdam, verdankt ihren Namen den vielen Bierbrauereien, die hier im sechzehnten und siebzehnten Jahrhundert ansässig waren. Die alten Lagerhäuser wurden restauriert und zu Luxusappartements umgebaut. Die Brouwersgracht liegt im Jordaan, einem historischen Arbeiterviertel mit einer gemütlichen Atmosphäre, die man in großen Städten nicht allzu häufig vorfindet.

The Brouwersgracht, one of the most beautiful canals in Amsterdam, derives its name from the many breweries located there during the sixteenth and seventeenth centuries. The old warehouses have been restored and converted into luxurious apartments. The Brouwersgracht is part of the Jordaan District, an area characterised by a certain kind of delightful geniality not too often found in large cities today.

In 1624 werden drie eilanden aangelegd en bebouwd met grote en kleine werven, pakhuizen en opslagplaatsen: het Realen-, Bickers- en Prinseneiland. Veel van deze pakhuizen zijn nog bewaard gebleven en de straatnamen herinneren ons nog aan de activiteiten die er plaatsvonden. Het Prinseneiland biedt nog een schitterende aanblik op het Amsterdam van de zestiende en zeventiende eeuw.

En 1624, trois îles ont été aménagées et couvertes de chantiers navals, petits et grands, d'entrepôts et de dépôts: il s'agit des îles Realen-, Bickers- et Prinseneiland. Un grand nombre de ces entrepôts ont été conservés et les noms des rues nous rappellent encore les activités qui y avaient lieu. La Prinseneiland offre une vue fantastique sur la ville d'Amsterdam du seizième et du dix-septième siècle.

Im Jahr 1624 entstanden drei Inseln, die mit großen und kleinen Werften, Lagerhäusern und Speichern bebaut wurden: das Realen-, das Bickers- und das Prinseneiland. Viele dieser alten Lagerhäuser sind erhalten geblieben, und auch die Straßennamen erinnern noch an die Geschäfte, die hier getätigt wurden. Besonders das Prinseneiland bietet immer noch einen prächtigen Blick auf das Amsterdam des sechzehnten und siebzehnten Jahrhunderts.

In 1624, three islands – Realeneiland, Bickerseiland and Prinseneiland – were created and then used to accommodate large and small wharves, warehouses and storage places. Many of these warehouses can still be seen today, and the names of the streets still remind us of the activities that once took place there. Prinseneiland still provides a splendid view of Amsterdam as it looked in the sixteenth and seventeenth centuries.

Aan de rivier 'de Amstel', waaraan de stad zijn naam ontleent, ligt het prestigieuze gebouw de Stopera. Het gebouw herbergt een combinatie van stadhuis en opera. De goedkeuring van de plannen voor het gebouw verliep destijds buitengewoon moeizaam, maar het resultaat is zodanig dat menig Amsterdammer er trots op is.

C'est au bord de la rivière 'de Amstel', à laquelle la ville doit son nom, qu'est édifié le prestigieux complexe du Stopera. Ce complexe a deux bâtiments sous le même toit : l'hôtel de ville et l'opéra. L'adoption des plans de ce bâtiment a rencontré beaucoup de difficultés à l'époque mais le résultat est tel que bien des Amstellodamois en sont très fiers.

An der Amstel, dem Fluss, dem Amsterdam seinen Namen verdankt, liegt der Prestigebau Stopera, eine Kombination aus Rathaus (Stadhuis) und Oper (Opera). Bei dem Genehmigungsverfahren für die Baupläne gab es seinerzeit außergewöhnliche Schwierigkeiten, aber auf das Resultat ist heute so mancher Amsterdamer stolz.

On the River Amstel, the river that gives the city its name, lies the prestigious building known as the Stopera that accommodates both the city hall and an opera house. Getting the Stopera's building plans approved proved quite a difficult task a few years ago, but many an "Amsterdammer" today is proud of the result.

Van de vele honderden Amsterdamse bruggen wordt de Magere Brug het meest gefotografeerd. De brug dankt zijn naam aan de gezusters Mager, die percelen aan de overkant van de Amstel hadden en in 1671 het stadsbestuur wisten te bewegen een brug naar hun huizen te bouwen. De rivier de Amstel is nog steeds een druk bevaren scheepvaartroute, zowel voor de beroeps- als de pleziervaart.

Le Magere Brug (Pont Maigre) est l'un des cents ponts les plus photographiés d'Amsterdam. Ce pont doit son nom aux sœurs Mager, qui possédaient des parcelles de terrain de l'autre côté de l'Amstel et réussirent, en 1671, à pousser la municipalité à faire construire un pont reliant leurs maisons. La rivière d'Amstel est, encore maintenant, une route fluviale animée où l'on rencontre aussi bien des navires de plaisance que des navires commerciaux.

Von den Hunderten Brücken in Amsterdam wird die Magere Brug am häufigsten fotografiert. Der Name der Brücke leitet sich von den Mager-Schwestern ab, die auf der gegenüberliegenden Seite der Amstel Häuser besaßen und die Stadtverwaltung 1671 davon überzeugen konnten, eine Brücke zu ihren Häusern zu bauen. Die Amstel ist auch heute noch eine stark befahrene Schifffahrtsstraße und wird nicht nur für den gewerblichen Güterverkehr, sondern auch für Vergnügungsfahrten genutzt.

Of the hundreds of bridges in Amsterdam, the Magere Brug is the one most often captured in photographs. The bridge was named for the Mager sisters who owned pieces of property on the other side of the Amstel and who managed to convince the city administration to build a bridge across the river to their houses in 1671. The River Amstel is still a busy fairway for both commercial vessels and pleasure craft.

De Montelbaanstoren (anno 1512) is een restant van de Amsterdamse vestingwerken en is nu in gebruik als het Stadswaterkantoor. Door de groei van de havens van Amsterdam in oostelijke richting kwam de Montelbaanstoren als het ware in het centrum te liggen en werd hij overbodig als verdedigingstoren. Veel andere torens zijn afgebroken, maar gelukkig is de Montelbaanstoren behouden.

La tour Montelbaanstoren (datant de 1512) est un vestige des fortifications d'Amsterdam et est utilisée à l'heure actuelle comme Stadswaterkantoor (Bureau d'étude pour les eaux urbaines). L'expansion des ports d'Amsterdam en direction orientale a relégué la Montelbaanstoren, pour ainsi dire, au centre. Elle est devenue alors inutile et tant que tour de fortification. Bien d'autres tours ont été démolies, mais la tour Montelbaanstoren a heureusement été conservée.

Der Montelbaanstoren aus dem Jahr 1512 ist ein Überbleibsel der alten Amsterdamer Festungsanlagen und dient heute dem städtischen Wasserwirtschaftsamt als Bürogebäude. Durch das Wachstum der Häfen im Osten der Stadt befand sich der Montelbaanstoren irgendwann im Zentrum Amsterdams und wurde deshalb als Verteidigungsturm überflüssig. Viele andere Türme wurden abgerissen, aber glücklicherweise blieb der Montelbaanstoren erhalten.

The tower known as the Montelbaanstoren (built in 1512) is a remnant of Amsterdam's city fortifications and is currently used as the Stadswaterkantoor, the office that regulates the flow of water in the Amsterdam canals. With the growth of Amsterdam's harbours in an easterly direction, the Montelbaanstoren was no longer situated on the city's perimeter and thus lost its usefulness as a fortification. Although many other towers have been torn down, this one has fortunately been preserved.

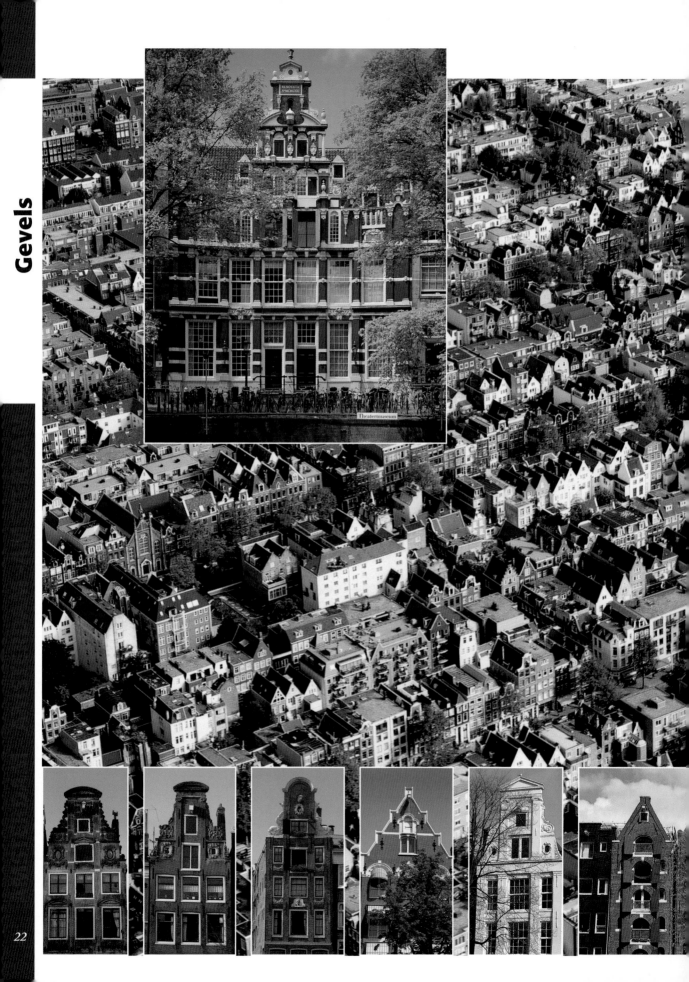

De Westerkerk met zijn gouden Keizerskroon aan de Prinsengracht en aan de rand van de Jordaan is het meest bezongen bouwwerk van Amsterdam. De kerk is een ontwerp van de architect Hendrick de Keyser, die het werk niet meer voltooid zag. Hij overleed tien jaar voor de inwijding van de kerk in 1631. Zijn zoon Pieter heeft samen met oppermetselmeester Cornelis Danckerts de bouw uiteindelijk voltooid. De toren van de kerk is 85 meter hoog.

La Westerkerk (Église de l'Ouest) avec sa couronne impériale et or, située au Prinsengracht et à proximité du Jordaan, est l'ouvrage le plus chanté d'Amsterdam. Cette église a été conçue par l'architecte Hendrick de Keyser, qui ne vit pas sa réalisation. Il est mort dix ans avant la consécration de l'église en 1631. Son fils, Pieter, a achevé la construction de l'église en collaboration avec le grand maître maçon Cornelis Danckerts. La tour de l'église a 85 mètres de haut.

Die Westerkerk mit ihrer goldenen Kaiserkrone liegt an der Prinsengracht und am Rand des Jordaan-Viertels und ist das Gebäude in Amsterdam, das am häufigsten in Liedern auftaucht. Die Kirche wurde von dem Architekten Hendrick de Keyser entworfen, der die Vollendung seines Werks allerdings nicht mehr erlebte. Er starb 1621, zehn Jahre vor der Einweihung der Kirche. Sein Sohn Pieter vollendete den Bau zusammen mit dem Obersteinmetz Cornelis Danckerts. Der Kirchturm ist 85 Meter hoch.

The Westerkerk (West Church) topped with its golden emperor's crown is located on the Prinsengracht near the fringes of the Jordaan District. This most highly praised piece of architecture in Amsterdam was designed by architect Hendrick de Keyser. He never lived to see the building completed since he died ten years before its consecration in 1631. His son, Pieter, worked with master mason Cornelis Danckerts to see the building through to completion. The church's tower is 85 metres tall.

Door het enorme woningtekort na de Tweede Wereldoorlog gingen vindingrijke Amsterdammers op afgedankte binnenvaartschepen en andere woonschepen wonen. Was het toentertijd een noodzaak, nu is het een geliefde vorm van wonen in Amsterdam. Het gemeentebestuur van Amsterdam staat echter geen nieuwe woonschepen in Amsterdam meer toe en er zijn dan ook maar weinig bewoners die hun unieke ligplaats in Amsterdam willen verlaten.

La pénurie du logement après la Deuxième Guerre mondiale a conduit des Amstellodamois ingénieux à habiter dans des bateaux de navigation intérieure mis hors service et d'autres bateaux-maisons. Ce qui était une nécessité, à l'époque, est maintenant un type de logement favori à Amsterdam. La municipalité d'Amsterdam n'autorise toutefois plus l'implantation de nouveaux bateaux-maisons à Amsterdam et il y a peu d'habitants désireux de quitter leur poste d'amarrage unique à Amsterdam.

Aufgrund des enormen Wohnungsmangels nach dem Zweitem Weltkrieg funktionierten findige Amsterdamer ausrangierte Binnenschiffe und andere Hausboote zu Wohnungen um. Was in jener Zeit noch eine Notwendigkeit war, ist mittlerweile eine beliebte Form des Wohnens in Amsterdam. Die Stadtverwaltung von Amsterdam lässt allerdings keine neuen Hausboote mehr zu, und es gibt auch nur wenige Hausbootbewohner, die ihren einzigartigen Liegeplatz in Amsterdam aufgeben wollen.

Due to the enormous housing shortage after the Second World War, resourceful Amsterdammers started living in cast-off canal barges and other houseboats. What was a necessity in those days has now become a favoured form of housing in Amsterdam. Today's city administration, however, is not permitting the introduction of any new houseboats in Amsterdam, so few inhabitants want to leave their unique moorings in Amsterdam.

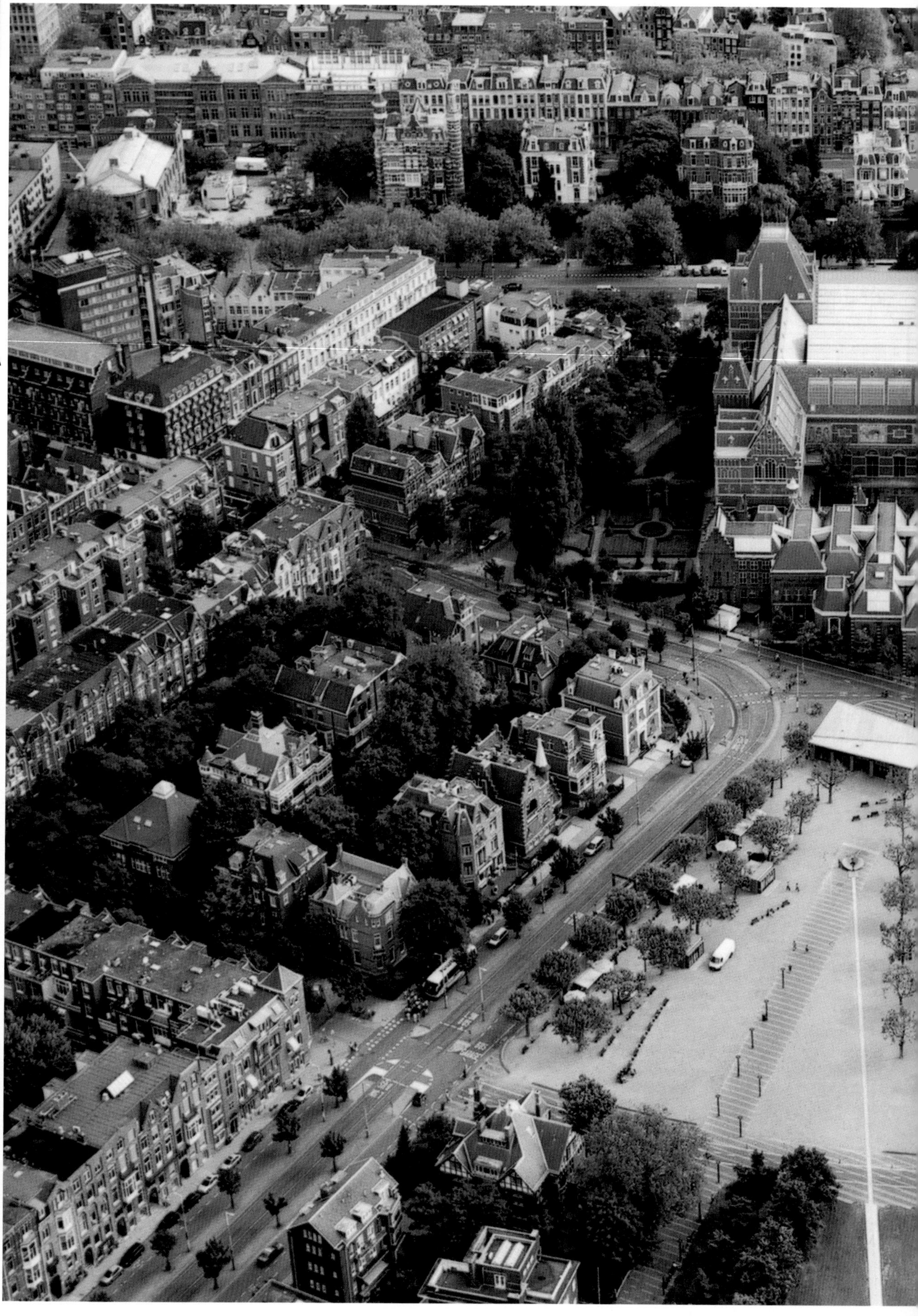

In de schatkamers van het Rijksmuseum, eveneens een ontwerp van de architect P.J.H. Cuypers, bevindt zich onder andere een van de meest bekende kunstwerken in de wereld, 'de Nachtwacht' van de schilder Rembrandt van Rijn. Maar ook van andere vaderlandse schilders, zoals Frans Hals, Jacob Ruysdael, Jan Steen en Johannes Vermeer zijn vele werken te bewonderen. De achterzijde van het Rijksmuseum grenst aan het Museumplein dat geheel is gerenoveerd en waar grote evenementen plaatsvinden.

C'est dans les trésors du Rijksmuseum, également conçu par l'architecte P.J.H. Cuypers, que se trouve, entre autres, l'un des chefs d'œuvres les plus connus du monde, 'de Nachtwacht' ou Ronde de nuit du peintre Rembrandt van Rijn. Mais on peut également y admirer d'autres œuvres de peintres hollandais tels que Frans Hals, Jacob Ruysdael, Jan Steen et Johannes Vermeer. La façade arrière du Rijksmuseum donne sur la place Museumplein, qui a été entièrement rénovée et où de grands événements ont lieu.

In den Schatzkammern des Rijksmuseums, das von dem Architekten P.J.H. Cuypers entworfen wurde, befindet sich neben vielen anderen Schätzen eins der bekanntesten Kunstwerke der Welt, „Die Nachtwache" von Rembrandt van Rijn. Aber auch von den anderen niederländischen Malern wie Frans Hals, Jacob Ruysdael, Jan Steen und Johannes Vermeer sind viele Werke zu bewundern. Die Rückseite des Rijksmuseums grenzt an den Museumplein, den komplett renovierten Museumsplatz, auf dem regelmäßig Großveranstaltungen stattfinden.

Included in the treasure chambers of the Rijksmuseum, also designed by architect P.J.H. Cuypers, is one of the most famous pieces of art in the world: "The Night Watch" painted by Rembrandt van Rijn. But the Rijksmuseum also holds many amazing works by other Dutch painters such as Frans Hals, Jacob Ruysdael, Jan Steen and Johannes Vermeer. The rear side of the Rijksmuseum faces the Museumplein that was recently completely renovated and is now used for major events.

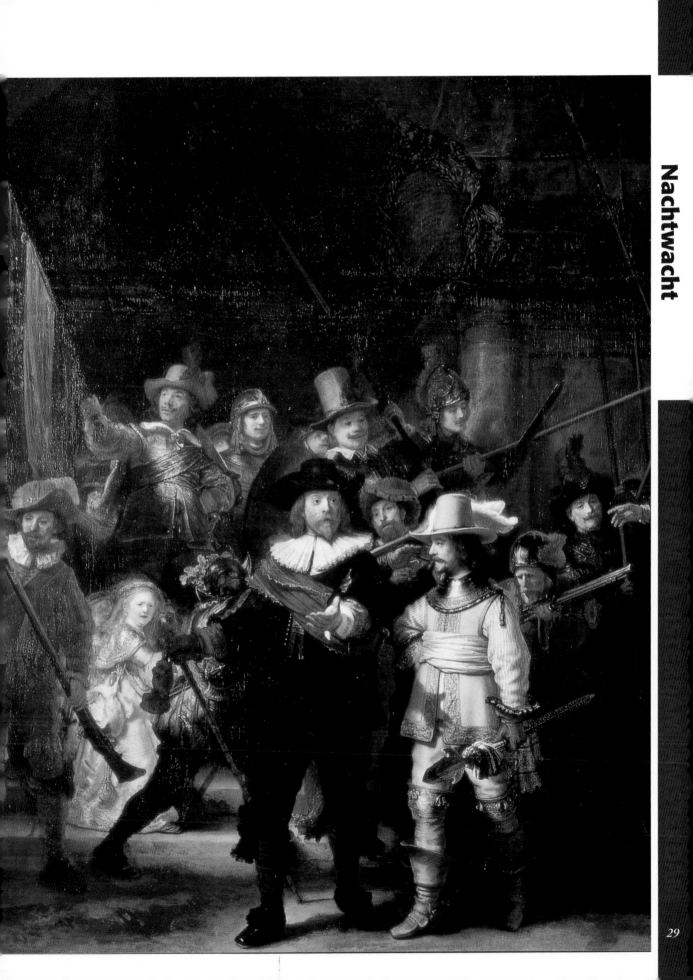

De wereldberoemde Nederlandse schilder Vincent van Gogh werd slechts zevenendertig jaar. Hij werd geboren in Zundert op 30 maart 1853 als zoon van een predikant. Aanvankelijk werkte hij enige tijd in Londen bij een kunsthandel. Na een aantal omzwervingen besloot hij schilder te worden en nam hij les bij A. Mauve, een Nederlandse schilder uit de Haagse School. Zijn broer Theo nam Vincent onder zijn hoede. Vanaf 1886 begon zijn werk een persoonlijk karakter te krijgen. De broers hielden een uitvoerige briefwisseling waardoor we veel over de ontwikkeling van Vincent weten. In 1888 vestigde hij zich in Zuid-Frankrijk waar hij geruime tijd in Arles woonde. Hij schilderde daar soms wel vier schilderijen per dag. Maar zijn geestelijke gezondheid werd snel slechter. Uiteindelijk maakte hij in de Franse plaats Auvers-sur-Oise een eind aan zijn leven met achterlating van zijn gehele oeuvre aan zijn broer Theo.

Le peintre néerlandais connu dans le monde entier, Vincent van Gogh, est mort à l'âge de trente-sept ans. Il est né à Zundert le 30 mars 1853. Il était fils d'un pasteur. Il a d'abord travaillé quelques temps dans un commerce d'objets d'art à Londres. Après quelques vagabondages, il décida de devenir peintre et il prit des leçons chez A. Mauve, un peintre néerlandais de l'école Haagse School. Son frère, Theo, mit son frère sous sa protection. Ses oeuvres commencèrent à avoir un caractère plus personnel à partir de l'année 1886. Les deux frères entretenaient une correspondance détaillée qui nous a amenés à connaître l'évolution de Vincent. En 1888, il s'installa dans le Midi de la France où il habita pendant quelques années à Arles. Il peignait parfois même quatre tableaux par jour. Mais sa santé morale empira vite. Enfin, il mit fin à sa vie dans la ville française d'Auvers-sur-Oise en laissant toute son oeuvre à son frère Theo.

The world-famous Dutch painter Vincent van Gogh lived to be only thirty-seven years old. He was born in the town of Zundert on 30 March 1853 as the son of a minister. At first, he worked for a while in an art dealership in London. After several twists and turns in his life, he decided to become a painter and took lessons from Anton Mauve, a Dutch painter belonging to a movement known as The Hague School. Van Gogh's brother, Theo, supported Vincent in his efforts. By 1886, his work was starting to exhibit his own personal style. It was because the brothers exchanged so many letters that we know much about Vincent's development as an artist. In 1888, he established himself in southern France where he lived for some time in Arles. It was here that he sometimes painted four paintings a day. But his mental health quickly deteriorated. Ultimately, he committed suicide in the French village of Auvers-sur-Oise, leaving his entire oeuvre to his brother Theo.

Der weltberühmte niederländische Maler Vincent van Gogh wurde nur 37 Jahre alt. Am 30. März 1853 als Sohn eines Pastors in Zundert geboren, arbeitete er zuerst in einer Londoner Kunsthandlung; nach ein paar weiteren gescheiterten Anstellungen beschloss er, Maler zu werden, und nahm Unterricht bei A. Mauve, einem niederländischen Maler der Haager Schule. Zu der Zeit begann sein Bruder Theo ihn zu fördern. Ab 1886 bekamen Van Goghs Bilder einen persönlicheren Charakter; über seine Entwicklung aus dieser Zeit wissen wir viel, da die Brüder in dieser Zeit ausführlich miteinander korrespondierten. 1888 zog er nach Südfrankreich und wohnte lange Zeit in Arles, wo er an manchen Tagen vier Bilder malte. Aber gleichzeitig verschlechterte sich sein geistiger Gesundheitszustand immer mehr. Schließlich setzte er seinem Leben im französischen Auvers-sur-Oise ein Ende und hinterließ sein gesamtes Oeuvre seinem Bruder Theo.

De Zuiderkerk werd gebouwd tussen 1603 en 1611 onder leiding van de architect Hendrick de Keyser. Het was de eerste kerk voor een protestantse eredienst in Amsterdam. Hendrick de Keyser ligt er zelf begraven. De Zuiderkerk staat in een oud stadsdeel dat nog goed bewaard is gebleven. Wie op de brug over de Groenburgwal gaat staan en in de richting van de toren kijkt, kan zich in de bloeiperiode van de Lage Landen wanen. Zowel de Reguliersgracht als de Leidsegracht kruisen achtereenvolgens de Herengracht, Keizersgracht en Prinsengracht. Volgt men de Reguliersgracht of Leidsegracht dan komt men op deze korte afstand 7 bruggen tegen. Een vergezicht dat menig toerist op de gevoelige plaat (nu meer en meer digitaal) wil vastleggen.

La Zuiderkerk (Église du Sud) a été construite entre 1603 et 1611 sous la direction de l'architecte Hendrick de Keyser. Ce fut la première église à célébrer le culte protestant à Amsterdam. Hendrick de Keyser y a été enterré. La Zuiderkerk a été édifiée dans un ancien quartier bien conservé. Il suffit de regarder, du pont qui enjambe la Groenburgwal, dans la direction de la tour pour se retrouver dans l'ambiance de l'âge d'or des Pays-Bas. Les canaux Reguliersgracht et Leidsegracht croisent successivement le Herengracht, le Keizersgracht et le Prinsengracht. Si l'on suit le Reguliersgracht ou le Leidsegracht, on rencontrera 7 ponts au cours de cette courte promenade. Un panorama que bien des touristes souhaitent photographier (de plus en plus avec un appareil de photo numérique) !

Die Zuiderkerk, die erste Kirche für protestantischen Gottesdienst in Amsterdam, wurde zwischen 1603 und 1611 unter Leitung des Architekten Hendrick de Keyser erbaut; sein Grab befindet sich in dieser Kirche. Die Zuiderkerk steht in einem alten Stadtteil, der noch gut erhalten geblieben ist. Wer auf der Brücke über dem Groenburgwal steht und in Richtung des Turms blickt, mag sich in die Blütezeit der Niederlande zurückversetzt fühlen. Sowohl die Reguliersgracht wie auch die Leidsegracht kreuzen nacheinander die Herengracht, die Keizersgracht und die Prinsengracht. Wenn man der Reguliersgracht oder der Leidsegracht folgt, sieht man also auf kleinstem Raum sieben Brücken. Ein Panorama, das nicht wenige Touristen auf Film (in zunehmendem Maße allerdings auch im Digitalformat) festhalten wollen.

The Zuiderkerk (South Church) was built between 1603 and 1611 under the supervision of architect Hendrick de Keyser. This was the first church built for conducting Protestant services in Amsterdam. Hendrick de Keyser himself is buried there. The Zuiderkerk is located in an old part of the city that is still well preserved. If you stand on the bridge over the Groenburgwal and look toward the tower of this church, you can quite easily imagine yourself back in the glory days of the Low Countries. Both the Reguliersgracht and the Leidsegracht cross the Herengracht, Keizersgracht and Prinsengracht one after another. So if you walk along the Reguliersgracht or the Leidsegracht, you will come across seven bridges within this short distance. It's a vista that many a tourist wants to capture – sometimes on film, but more and more often in digital form.

Als u dan toch nog enigzins vermoeid bent geraakt door het wandelen, kunt u in Amsterdam overal een plekje vinden om even uit te rusten. Een ongekend groot aantal terrassen, zowel aan als op het water, staat de vermoeide wandelaar gastvrij ter beschikking. Blijf niet te lang op een terras, maar verruim uw blik door het levendige straatbeeld van Amsterdam van meerdere kanten te bekijken.

Si vous êtes quand même fatigué de votre promenade, vous trouverez partout un endroit où vous reposer à Amsterdam. Une multitude de terrasses, aussi bien au bord de l'eau que sur l'eau, permettront au promeneur fatigué de prendre une collation. Ne restez pas trop longtemps à la même terrasse mais élargissez votre horizon en regardant les multiples facettes que présentent les rues animées d'Amsterdam.

Falls Sie vom Spazierengehen schließlich doch etwas ermüdet sein sollten, finden Sie überall in Amsterdam einen Ort, um sich ein wenig zu entspannen. Eine beispiellos große Anzahl an gastfreundlichen Straßencafés, sowohl an als auch auf dem Wasser, steht dem müden Spaziergänger zur Verfügung. Bleiben Sie nicht zu lange sitzen, nutzen Sie die Möglichkeit und erweitern Sie Ihren Horizont, indem Sie sich das lebendige Straßenbild Amsterdams von mehreren Seiten anschauen.

Should you happen to tire, there are plenty of delightful places to stop and take a break in Amsterdam. An unprecedented number of terraces, both along and over the water, are available to serve the weary walker. But don't tarry too long on a terrace. Instead, widen your horizons by viewing Amsterdam's lively street scenes from various vantage points.

Toen de verdedigingsgordel nog in tact was liep er een muur van de Schreierstoren naar een toegangspoort van de stad: de St. Anthoniespoort. De St. Anthoniespoort werd gebouwd in 1490 en later in de 17^e eeuw als Waag in gebruik genomen. Kooplieden konden hier hun aangekochte waren op gewicht laten controleren. Op het plein ervoor werden in het openbaar executies voltrokken, het was er toen dan ook vast minder gezellig dan nu. Na een grondige restauratie is de Waag nu in gebruik als restaurant en op het voorgelegen plein is het nu goed toeven.

Lorsque la ceinture de défense était encore intacte, il y avait un mur entre la Schreierstoren (Tour des Pleureuses) et la porte d'accès de la ville : St. Anthoniespoort (Porte St-Antoine). La St. Anthoniespoort, édifiée en 1490, a été utilisée, plus tard, au 17e siècle, comme Waag (Poids public). Les commerçants pouvaient y faire contrôler le poids de leurs marchandises. Des exécutions avaient lieu en public sur la place devant le Poids public et l'ambiance y était sans doute moins agréable qu'aujourd'hui. Après une restauration minutieuse, le Poids public sert, à l'heure actuelle, de restaurant et tout le monde aime se prélasser sur la place devant le Poids public.

Als der Verteidigungsgürtel noch intakt war, lief eine Mauer vom Schreierstoren zum Zugang der Stadt: dem Stadttor St. Anthoniespoort. Das Tor wurde 1490 errichtet und fungierte später im 17. Jahrhundert als Stadtwaage. Die Kaufleute konnten dort das Gewicht ihrer erstandenen Waren prüfen lassen. Auf dem Platz vor dem Gebäude wurden die öffentlichen Hinrichtungen vollzogen, es war damals denn auch sicherlich etwas weniger gemütlich als jetzt. Nach einer gründlichen Restaurierung beherbergt die Waag (Stadtwaage) nun ein Restaurant und lädt der Platz davor zur Entspannung ein.

When the ramparts enclosing the city were still intact, a wall ran from the Schreierstoren to the city's entrance port, the St. Anthoniespoort. The St. Anthoniespoort had been built in 1490. Later, during the 17th century, it was used as the Weighing House (*Waag* in Dutch) where merchants could check the weight of the wares they had purchased. The square in front of it was used for public executions, so it was certainly not as cheerful a place then as it is now. Following a thorough restoration, the Weighing House is now used as a restaurant, and the square in front of it is a nice place to sit, take a break and enjoy the lively surroundings.

Het is nauwelijks voor te stellen, maar toen het Concertgebouw werd geopend in 1888 stond het aan de rand van de stad. Door de enorme groei van Amsterdam staat het gebouw nu vrijwel in het centrum. Het Concertgebouw heeft sinds die tijd een aantal verbouwingen en aanpassingen ondergaan, waarbij de functie behouden is gebleven. Het heeft vele grote dirigenten onder zijn dak gehad, van wie enkele van Nederlandse bodem. Bernard Haitink is daarvan een goed voorbeeld.

Cela dépasse notre imagination, mais la Concertgebouw (la Salle des Concerts), inaugurée en 1888, se trouvait à la périphérie de la ville. Ce bâtiment se trouve à présent quasiment au centre de la ville, vu l'énorme expansion d'Amsterdam. La Concertgebouw a subi, depuis cette période, un certain nombre de transformations et d'adaptations mais sa fonction est restée la même. Elle a un grand nombre de dirigeants sous son toit, parmi lesquels des dirigeants d'origine néerlandaise. Bernard Haitink en est un bon exemple.

Es scheint kaum vorstellbar, aber als das Concertgebouw 1888 eröffnet wurde, stand es am Rand der Stadt. Aber da Amsterdam seit eh und je unaufhaltsam wächst, steht das Konzerthaus mittlerweile im Zentrum. Zwar musste das Concertgebouw seit seiner Eröffnung eine Reihe von Umbauten und Modernisierungen über sich ergehen lassen, hat aber seine Funktion behalten. Viele große Dirigenten waren hier zu Gast, darunter auch einige Niederländer, zum Beispiel Bernard Haitink.

It's hard to imagine now, but when the Concertgebouw was opened in 1888, it was located on the edge of the city. Due to Amsterdam's enormous growth, the building is now practically in the centre of the city. Since it's completion, the Concertgebouw has undergone several renovations and alterations, but its function has never changed. It has had many great conductors under its roof, including some who were born in the Netherlands. A good example is Bernard Haitink.

Op slechts enkele minuten lopen van de Dam kan de oplettende bezoeker een oase van rust betreden als hij of zij de toegangspoort tot het Begijnhof weet te vinden. Hier bevindt zich ook het oudste huis van Amsterdam met een houten gevel. De bewoners zijn al lang geen Begijnen meer, maar inwoners van Amsterdam, die vooral de rust en stilte waarderen en er eigenlijk de voorkeur er aan geven dat het hofje voor buitenstaanders ontoegankelijk wordt.

À quelques minutes, à peine, du Dam, le visiteur attentif pénétrera un havre de paix, s'il arrive à trouver la voie d'accès au Begijnhof (béguinage). C'est ici que se trouve également la plus ancienne maison d'Amsterdam avec une façade en bois. Les habitants du béguinage ne sont plus des béguines, mais des habitants d'Amsterdam, en quête de calme et de silence et, qui préfèreraient que cette cour soit interdite aux personnes qui n'y habitent pas.

Nur wenige Minuten vom Dam entfernt betritt der aufmerksame Beobachter eine Oase der Ruhe, sobald er den Eingang zum Beginenhof gefunden hat. Hier steht auch das älteste Haus Amsterdams mit einer Holzfassade. Dort wohnen schon seit langem keine Beginen mehr, sondern normale Amsterdamer, die vor allem die Ruhe und die Stille schätzen und es eigentlich auch lieber sähen, wenn der Hof für Außenstehende geschlossen würde.

Just a few minutes' walk from the Dam, observant visitors can enter an oasis of quiet if they manage to find the entrance to the Begijnhof. Here, you can see the oldest house in Amsterdam with a wooden façade. The people who live here are no longer Beguines but simply Amsterdammers who treasure the peace and quiet of this place and, if truth be told, would really prefer having their courtyard homes made off limits to outsiders.

Aan de rand van Amsterdam, aan de zogenaamde zuidas of de ringweg A10, bouwden en bouwen grote bankinstellingen, verzekeringsmaat-schappijen en andere multinationals hoogwaardige hi-tech kantoorgebouwen. Men kiest voor deze locatie omdat de binnenstad steeds slechter bereikbaar wordt. Een uitgebreid net van spoor-, bus-, en metroverbindingen zorgt ervoor dat tienduizenden mensen hun werkplek eenvoudig kunnen bereiken.

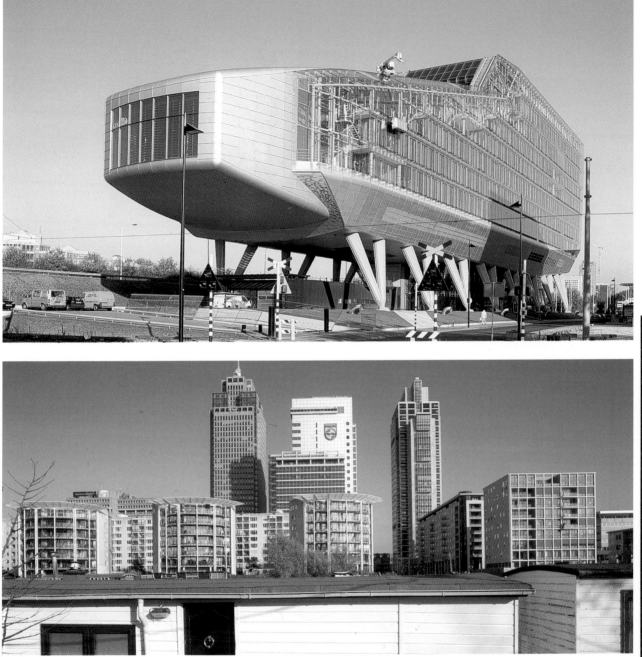

C'est à la périphérie d'Amsterdam, sur l'axe méridional ou sur le périphérique A10, que de grands établissements bancaires, de grandes sociétés d'assurance et d'autres multinationales n'ont cessé et ne cessent de construire des complexes hitech extrêmement modernes. Cet emplacement est favorable parce que le centre ville est difficilement accessible. Un réseau étendu de liaisons par autobus, métro ou train permet à dix milliers d'usagers d'accéder facilement à leur poste de travail.

Am Rand von Amsterdam, an der so genannten Südachse der Umgehungsstraße A10, bauten und bauen große Bankhäuser, Versicherungs-gesellschaften und andere multinationale Konzerne moderne High-Tech-Büro-gebäude. Viele Unternehmen entscheiden sich für diesen Standort, weil die Innen-stadt immer schlechter zu erreichen ist. Ein ausgedehntes Netz von Zug-, Bus- und Straßenbahnverbindungen sorgt dafür, dass Zehntausende Menschen ihren Arbeitsplatz problemlos erreichen können.

On the perimeter of Amsterdam, along what is known now as the South Axis (the A10 ring road), large banking institutions, insurance companies and other multinationals are continuing to build classy high-tech office buildings. They have selected this location because the city centre is becoming less and less accessible. An extensive network of rail, bus and metro connections makes sure that tens of thousands of people can easily reach the place where they work.

In de binnenstad van Amsterdam zijn geen mogelijkheden meer om een woonboot permanent af te meren. Er liggen er momenteel naar schatting zo'n 1400. Veel eigenaren zijn daarom met hun woonschepen uitgeweken naar Amsterdam-Zuid waar een compleet dorp van woonschepen is ontstaan. De woonschepen zijn overigens gewoon voorzien van vaste aansluitingen van licht en water. Maar ook deze haven is al tot de laatste plaats bezet. Het is dan ook vrijwel onmogelijk voor toekomstige woonschipbewoners nog een ligplaats te vinden.

Dans le centre ville d'Amsterdam, il n'est pas possible d'amarrer un bateau-maison en permanence. Il y en a environ 1400 à l'heure actuelle. C'est la raison pour laquelle bien des propriétaires des bateaux-maisons ont émigré vers Amsterdam-Zuid où un village entier de bateaux-maisons est né. Ces bateaux-maisons sont d'ailleurs tout simplement équipés de branchements fixes d'eau et d'électricité. Mais ce port est lui-aussi plein à craquer. Aussi est-il quasiment impossible de trouver un poste d'amarrage pour les habitants futurs de bateaux-maisons.

Im Zentrum von Amsterdam gibt es keine Möglichkeiten mehr, mit einem neuen Hausboot permanent vor Anker zu gehen, denn Schätzungen zufolge gibt es dort im Moment ungefähr 1400 Hausboote. Aus diesem Grund sind viele Besitzer mit ihren Hausbooten in den Süden Amsterdams ausgewichen, wo eine ganze Gemeinde aus Hausbooten entstanden ist. Die Hausboote verfügen in der Regel übrigens über einen Stromanschluss und fließend Wasser. Aber da auch dieser Hafen Vollbelegung verzeichnen kann, ist es für angehende Hausbootbewohner praktisch unmöglich geworden, noch einen Ankerplatz zu finden.

Amsterdam's city centre is no longer offering any more permanent moorings for houseboats, currently estimated to number around 1400. This is why many of their owners have moved their houseboats to Amsterdam-Zuid where a complete village of houseboats has grown up. The houseboats here, however, are provided with permanent electricity and water connections. But because this harbour, too, is completely occupied, it's become practically impossible for any future houseboat inhabitants to find a mooring.

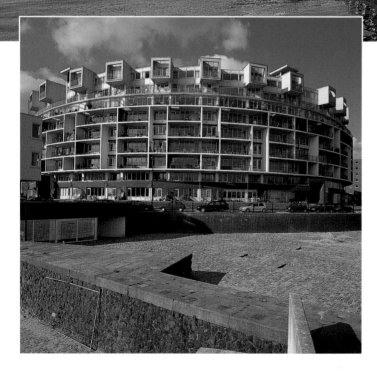

Door de komst van een nieuwe generatie schepen en de aanleg van nieuwe havens tussen Amsterdam en IJmuiden zijn een groot aantal pakhuizen op het Java eiland en KNSM Eiland overbodig geworden. Waar mogelijk werden deze pakhuizen verbouwd tot woningen of gesloopt om voor nieuwbouw plaats te maken. Een enorme graansilo biedt nu bijvoorbeeld onderdak aan tientallen gezinnen.

Un grand nombre d'entrepôts de l'île de Java et de l'île KNSM sont devenus inutiles en raison de la venue d'une nouvelle génération de navires et de l'aménagement de nouveaux ports entre Amsterdam et IJmuiden. Ces entrepôts ont été, dans la mesure du possible, métamorphosés en logements ou démolis pour faire place aux constructions nouvelles. Un exemple : un énorme silo à céréales a été transformé en logement pour des dizaines de familles.

Durch die neue Generation von Schiffen und den Bau von neuen Häfen zwischen Amsterdam und IJmuiden sind viele der Lagerhäuser auf dem Javaeiland und dem KNSM-Eiland überflüssig geworden. Soweit es möglich ist, werden diese Lagerhäuser zu Wohnungen umgebaut oder ansonsten abgerissen, um Platz für Neubauten zu machen. Große Getreidespeicher zum Beispiel bieten Wohnraum für Dutzende von Familien.

With the new generation of ships and the construction of new harbours between Amsterdam and IJmuiden, many warehouses on Java Eiland and KNSM Eiland were deserted. Where possible, these warehouses have been converted into homes or demolished to make room for new development. An enormous grain silo, for example, is now accommodating dozens of families.

47

Steeds meer grote passagiersschepen weten hun weg te vinden naar Amsterdam. Zij meren af bij het PTA (Passagiers Terminal Amsterdam). Deze uiterst moderne terminal bevindt zich op loopafstand van het Centraal Station. Passagiers van deze schepen zijn dan ook snel in de binnenstad. Het zal nog enige tijd duren, maar de Oostelijke Handelskade zal in de komende jaren een geheel andere aanblik krijgen met o.a. een snelle tramverbinding met de nieuwe stadswijk IJburg.

De plus en plus de gros navires à passagers se rendent à Amsterdam. Ils amarrent au PTA (Passagiers Terminal Amsterdam, terminal de passagers). Ce terminal extrêmement moderne se trouve à deux pas de la Centraal Station. Les passagers de ces bateaux peuvent alors se rendre rapidement au centre ville. Cela durera encore quelque temps mais l'Oostelijke Handelskade aura une toute autre allure dans les années à venir avec une liaison rapide par tramway vers le nouveau quartier IJburg.

Immer mehr große Passagierschiffe kommen in den Hafen von Amsterdam, wo sie am PTA (Passagier-Terminal Amsterdam) anlegen. Von diesem hochmodernen Terminal aus kann man zu Fuß den Hauptbahnhof erreichen, so dass die Passagiere dieser Schiffe schnell in der Innenstadt sind. Es wird zwar noch eine Weile dauern, aber der Osthandelskai erhält im Lauf der nächsten Jahre ein komplett anderes Gesicht, wozu unter anderem auch eine schnelle Straßenbahnverbindung mit dem neuen Stadtteil IJburg gehört.

More and more large passenger ships are including Amsterdam as one of their ports of call where they moor at the PTA (Passengers' Terminal Amsterdam). This ultra-modern terminal is located within walking distance of the Central Station so passengers disembarking from these ships will be in the city centre in no time. In years to come, the Oostelijke Handelskade will take on an entirely new look with the addition of such amenities as a rapid tram connection to the new urban district known as IJburg.

Auch im Winter müssen Besucher nicht auf den Ausblick auf Amsterdam vom Wasser aus verzichten. Da die Grachten zugefroren sind, können die Rundfahrtboote nicht ablegen, aber das Eis erlaubt es Schlittschuhläufern, die Innenstadt auf eine ganz andere Weise zu sehen, wenn das Eis dick genug ist und trägt. Eine winterliche Tour durch die Grachten ist im Vergleich zu einer Bootsfahrt während der farbenfrohen, lebhaften Sommermonate eine ausgesprochen stimmungsvolle und rustikale Angelegenheit.

Winter visitors to Amsterdam needn't miss seeing Amsterdam from the water either. Although the ice in the canals keeps sightseeing boats from making their rounds, ice skaters can take in the city in a completely different way – if the ice is thick enough. Compared to a boat cruise taken during the colourful summer months, a wintry glide over the icy canals is a distinctly appealing, rustic experience.

Ook de winterse bezoeker hoeft de aanzichten van Amsterdam vanaf het water niet te missen. Door het ijs in de grachten moeten rondvaartboten aan de kade blijven, maar daar tegenover staat dat schaatsers, mits het ijs voldoende sterk is, de binnenstad op een geheel andere wijze kunnen bekijken. Een winterse tocht over de grachten is in vergelijking tot een boottocht tijdens de kleurrijke, levendige zomermaanden uitgesproken sfeervol en rustiek.

Même en hiver, le visiteur pourra se régaler des panoramas magnifiques qu'offrent les canaux d'Amsterdam. Les bateaux-mouches sont alors contraints de rester amarrés au quai en raison des canaux gelés, mais le spectacle des patineurs métamorphosera l'aspect du centre ville à condition que la glace soit suffisamment solide. Le charme rustique et bon vivant d'une promenade hivernale le long des canaux contrastera totalement avec celui d'une promenade en bateau pendant les mois d'été riches en couleurs et activités.

In 1586 kwam de diamantbewerker Willem Vermaet van Antwerpen naar Amsterdam. Men kan deze Hugenoot beschouwen als de grondlegger van de diamant-industrie in de hoofdstad. Zijn werk werd voorgezet door Portugese joden die Amsterdam in de 17e eeuw verhieven tot het Europese centrum voor diamantbewerking en -handel. Tot de bekendste diamanten die in Amsterdam bewerkt werden behoren de 'Cullinan' en de grootste diamant ooit gevonden, de 'Koh-I-Noor'. Bij een aantal diamantslijperijen bent u van harte welkom om dit unieke ambacht nader te bekijken.

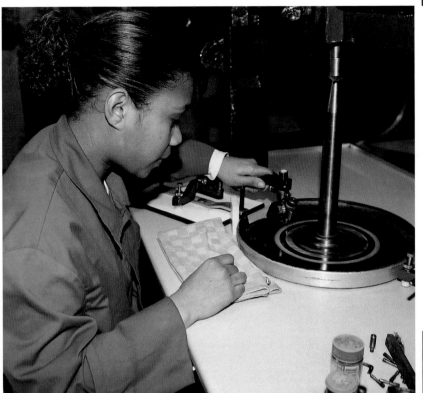

En 1586, le diamantaire Willem Vermaet d'Anvers se rendit à Amsterdam. On peut considérer ce Huguenot comme le fondateur de l'industrie diamantaire de la capitale des Pays-Bas. Son travail fut poursuivi par les juifs portugais qui, au 17e siècle, ont élevé Amsterdam au rang de centre européen pour la diamanterie et le commerce des diamants. Le 'Cullinan' et le diamant le plus gros jamais trouvé, le 'Koh-I-Noor' font partie des diamants les plus célèbres taillés à Amsterdam. Un certain nombre de tailleries de diamants se feront un plaisir de vous accueillir et de vous monter les différentes facettes de cet artisanat unique en son genre.

Der hugenottische Diamantschleifer Willem Vermaet, der 1586 von Antwerpen nach Amsterdam kam, gilt gewissermaßen als Begründer der Diamantenindustrie in der niederländischen Hauptstadt. Seine Arbeit wurde von portugiesischen Juden weitergeführt, die Amsterdam im 17. Jahrhundert zum europäischen Zentrum für die Bearbeitung von und den Handel mit Diamanten machten. Zu den berühmtesten Diamanten, die in Amsterdam bearbeitet wurden, gehören der „Cullinan" und der größte Diamant der Welt, der „Kohinoor". Eine Reihe von Diamantschleifereien laden Besucher dazu ein, dieses einzigartige Handwerk aus der Nähe zu beobachten.

In 1586, Willem Vermaet, the diamond cutter from Antwerp, came to Amsterdam and came to be known as the founder of the diamond industry in the capital city. His work was continued by Portuguese Jews who made Amsterdam into the European centre for diamond cutting and trade in the 17th century. Among the most famous diamonds to be cut in Amsterdam were the Cullinan and the largest diamond ever found, the Koh-I-Noor. A number of diamond-cutting shops will welcome you in to take a closer look at this unique craft.

Het is het mooiste moment van de dag als in Amsterdam de duizenden lichtjes worden ontstoken. Op een stille avond is het dan langs de oude rivier de Amstel goed toeven en is de stad op zijn mooist. Wandelaars kunnen even op een bankje plaatsnemen en wegdromen. Rondvaartboten beginnen aan hun onvergetelijke candlelight-cruise en passeren verlichte bruggen, gebouwen en woonschepen en in de 'rosse buurt' komt het uitgaansleven langzaam op gang en zal tot diep in de nacht voortduren.

Le plus beau moment de la journée est le moment où les milliers de lumières sont allumées à Amsterdam. Par une belle soirée calme et silencieuse, il fait bon flâner sur les rives de l'ancienne rivière de l'Amstel ; la ville offre alors un spectacle magnifique. Les promeneurs peuvent alors s'asseoir sur un banc et rêver à loisir. Les bateaux-mouches commencent alors à faire leur croisière inoubliable à la lumière des chandelles et les ponts, les bâtiments et les bateaux-maisons illuminés défileront devant vos yeux. Dans le 'quartier rouge', la vie nocturne commence lentement à s'éveiller et durera jusqu'aux premières lueurs de l'aube.

Der schönste Moment des Tages in Amsterdam ist gekommen, wenn Tausende von Lichtern angehen. An einem ruhigen Abend lässt es sich dann an der Amstel besonders gut aushalten, denn dann ist die Stadt am attraktivsten. Spaziergänger können sich auf einer Bank niederlassen und vor sich hinträumen. Die Rundfahrtboote bieten unvergessliche Ausflüge bei Kerzenschein und passieren erleuchtete Brücken, Gebäude und Hausboote, und im Rotlichtviertel, der „Rosse Buurt", beginnt allmählich das Nachtleben und wird, das bis tief in die Nacht andauert.

The prettiest moment of the day is at dusk when the thousands of lights come on in Amsterdam. On a quiet evening, it's nice to linger along the old River Amstel when the city is at its loveliest. After a walk, you can pause for a rest on a bench and float off into your own little fantasy world. Sightseeing boats start off on their unforgettable candlelight cruises to glide past illuminated bridges, buildings and houseboats. Visitors to the "red-light district" become more numerous, and the city's nightlife gradually awakens, lasting until the wee hours of the morning.

In de herfst en winter kunt u het langst genieten van de nachtverlichting, omdat het dan vroeg donker is. In de zomer zult u even geduld moeten hebben, maar kunt u de tijd aangenaam overbruggen door een van de vele restaurants of café's te bezoeken.

C'est en automne et en hiver que vous pourrez jouir le plus longtemps des illuminations, vu que les journées sont courtes. En été, il vous faudra patienter plus longtemps mais le temps passera vite et agréablement, si vous prenez place dans l'un des multiples restaurants ou cafés d'Amsterdam.

Im Herbst und im Winter können Sie die nächtliche Beleuchtung am längsten genießen, weil es dann bereits früh dunkel wird. Im Sommer müssen Sie etwas mehr Geduld aufbringen, aber Sie können die Zeit natürlich auch auf angenehme Weise überbrücken, indem Sie eins der vielen Restaurants oder eine gemütliche Kneipe besuchen.

The lights of the city can be enjoyed longest during the autumn and winter because night falls so early then. In the summer, you have to be more patient. While you're waiting, however, pass the time pleasantly away with a visit to one of the many restaurants or cafés.

De havenactiviteiten van Amsterdam verplaatsen zich langzaam in de westelijke richting. Er worden steeds hogere eisen gesteld aan de bereikbaarheid van de havens en aan de inrichting van de laad- en losfaciliteiten van de overslagbedrijven.
In het westelijk havengebied worden enorme loodsen gebouwd die aan de eisen van deze moderne tijd voldoen. Zo kan Amsterdam ook in de toekomst grote vrachtschepen met allerlei soorten lading blijven ontvangen.

Les activités portuaires d'Amsterdam se déplacent lentement vers l'ouest. Des exigences de plus en plus élevées sont imposées à l'accessibilité des ports et à l'aménagement des facilités de chargement et de déchargement des entreprises de transbordement.
D'énormes entrepôts répondant aux exigences actuelles sont construits dans la zone portuaire occidentale. Amsterdam pourra ainsi, dans l'avenir, continuer à recevoir de gros cargos avec toutes sortes de chargements.

Die Hafenaktivitäten in Amsterdam verlagern sich langsam aber sicher in westliche Richtung, da immer höhere Anforderungen an die Erreichbarkeit der Häfen und die Ausstattung der Be- und Entladeeinrichtungen der Umschlagbetriebe gestellt werden. Im westlichen Hafengebiet werden riesige Lagerhallen gebaut, die modernsten Ansprüchen genügen. Auf diese Weise können große Frachtschiffe mit allen möglichen Ladungen auch in der Zukunft in Amsterdam vor Anker gehen.

The port activities of Amsterdam are gradually shifting in a westerly direction. Increasingly stringent requirements are being placed on the accessibility of the ports and the design of the transhipment companies' loading and unloading facilities. In the western harbour area, enormous covered facilities are being built to meet today's criteria. This means that Amsterdam will continue to receive large freighters loaded with all kinds of cargo.

L'ancien village de Ruigoord disparaîtra de la carte pour faire place à une expansion croissante des ports d'Amsterdam. Amsterdam présente un inconvénient par rapport à Rotterdam : les navires doivent d'abord passer par les écluses d'IJmuiden, alors que Rotterdam est directement relié à la mer du Nord. De plus, les écluses d'IJmuiden présentent quelques restrictions auxquelles on s'efforce de remédier actuellement.

Der Ort Ruigoord wird von der Landkarte verschwinden, denn er muss Platz machen für die Erweiterung der Amsterdamer Häfen. Im Gegensatz zu Rotterdam hat der Hafen von Amsterdam den Nachteil, dass ankommende Schiffe erst die Schleusen bei IJmuiden durchqueren müssen, während Rotterdam einen direkten Zugang zur Nordsee hat. Darüber hinaus sind die Schleusen bei IJmuiden in ihren Funktionen eingeschränkt, aber es wird hart daran gearbeitet, diese Probleme zu beseitigen.

Het voormalige plaatsje Ruigoord zal van de kaart verdwijnen en plaats moeten maken voor nog meer uitbreidingen van de Amsterdam havens. Amsterdam kent het nadeel ten opzichte van Rotterdam dat schepen eerst de sluizen van IJmuiden moeten passeren, terwijl Rotterdam een open verbinding heeft met de Noordzee. De sluizen van IJmuiden hebben bovendien enige beperkingen, maar er wordt hard aan verbetering gewerkt.

The former hamlet of Ruigoord will disappear from the map to make room for yet more expansion of the Amsterdam harbours. Unlike Rotterdam that has an open connection with the North Sea, ships on their way to the port of Amsterdam have to pass through the locks at IJmuiden. Since these locks have other limitations as well, efforts are being devoted to making major improvements.

Dit prachtige stadion, de Amsterdam Arena, is de thuisbasis van wellicht Nederlands bekendste voetbalclub Ajax. Het dak kan naar gelang de weersomstandigheden geopend of gesloten worden. Het stadion wordt trouwens niet alleen gebruikt voor voetbalwedstrijden. Er treden hier ook regelmatig wereldberoemde artiesten op. De bereikbaarheid van het stadion is optimaal geregeld met zowel spoor-, metro- als wegverbindingen.

Ce magnifique stade, l'Amsterdam Arena, est le port d'attache du club de football néerlandais le plus célèbre des Pays-Bas : Ajax. Le toit de ce stade peut s'ouvrir en fonction des circonstances météorologiques. Ce stade n'est d'ailleurs pas seulement utilisé pour les matchs de football. Des artistes célèbres y font régulièrement leur entrée. L'accessibilité de ce stade est réglée de façon optimale grâce aux liaisons ferroviaires, routières et par métro.

Dieses herrliche Stadion, die Amsterdam-Arena, ist die Heimat des vielleicht bekanntesten Fußballvereins der Niederlande, Ajax Amsterdam. Das Dach kann je nach Wetterlage geöffnet oder geschlossen werden. In dem Stadion finden allerdings nicht nur Fußballspiele statt, hier treten auch regelmäßig weltbekannte Künstler auf. Das Problem der Erreichbarkeit wurde optimal gelöst, denn das Stadion ist sowohl per Zug und Straßenbahn als auch mit dem Auto zu erreichen.

This gorgeous stadium, the Amsterdam Arena, is home to probably the most famous football club in the Netherlands: Ajax. Its roof can be left open or closed according to the weather conditions. And the stadium isn't used just for football matches either. World-famous artists perform here on a regular basis. The stadium is highly accessible by rail, metro and road connections.